DESENHANDO COM OS DEDOS

Ed Emberley

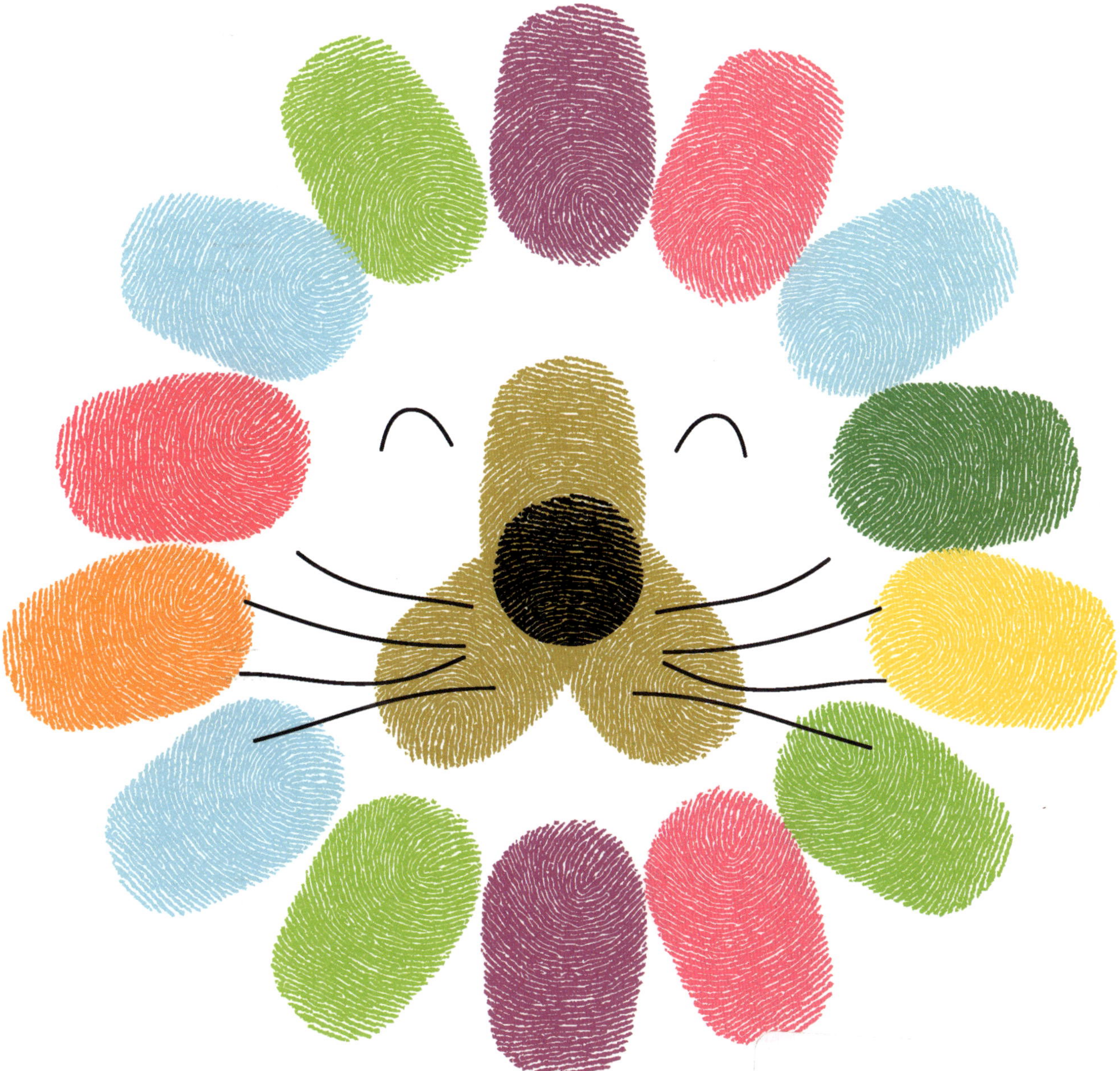

14ª impressão

PANDA BOOKS

SUMÁRIO

3 Instruções
4-7 Por exemplo
8-11 Gente
12-13 Chapéus
14-16 Ação
17-18 Bichos em Ação
19-22 Criaturas
23-24 Pássaros
25-27 Feriados
28-29 Flores
30-31 Mais Polegares
32-33 Isso e Aquilo
34-35 O Jardim
36-37 A Lagoa
38-39 Natureza
40-41 Bichos
42-43 Mais Bichos
44-45 Mais Pássaros
46-49 Amigos-Feijões
50-51 Sentimentos
52-53 Primavera Divertida!
54-55 Verão Divertido!
56-57 Outono Divertido!
58-59 Inverno Divertido!
60-61 Mais Feriados
62-63 Dia das Bruxas
64-65 Corredora, Dançarina, Empinadora...(Natal!)
66-67 Terra, Mar e Ar
68-69 Palhaço Arco-íris
70-71 Dragão Arco-íris
72 Leão
73 Leões Arco-íris
74-75 Caderno de Rascunho
76-77 Agora é a sua vez!

Divertido! Fácil!

Você pode fazer desenhos bem legais usando só os dedos de suas mãos. Com a ponta de seus dedos você vai fazer impressões pequenas. Assim:

1. Primeiro você aperta seu dedo sobre uma almofada de carimbo ou pode pintá-lo com aquarela e um pincel.

2. Depois, você pressiona seu dedo sobre um papel.

3. Aí você deixa secar.

4. E, então, você desenha.

POR EXEMPLO

Aprender a desenhar com os dedos é bem fácil. Tudo começa com a impressão de um de seus dedos. Depois é só seguir o que mostra a linha fina que aparece debaixo do desenho.
Vamos lá?

Agora tente sozinho!

Vamos fazer um peixe!

Agora você vai desenhar um pássaro!

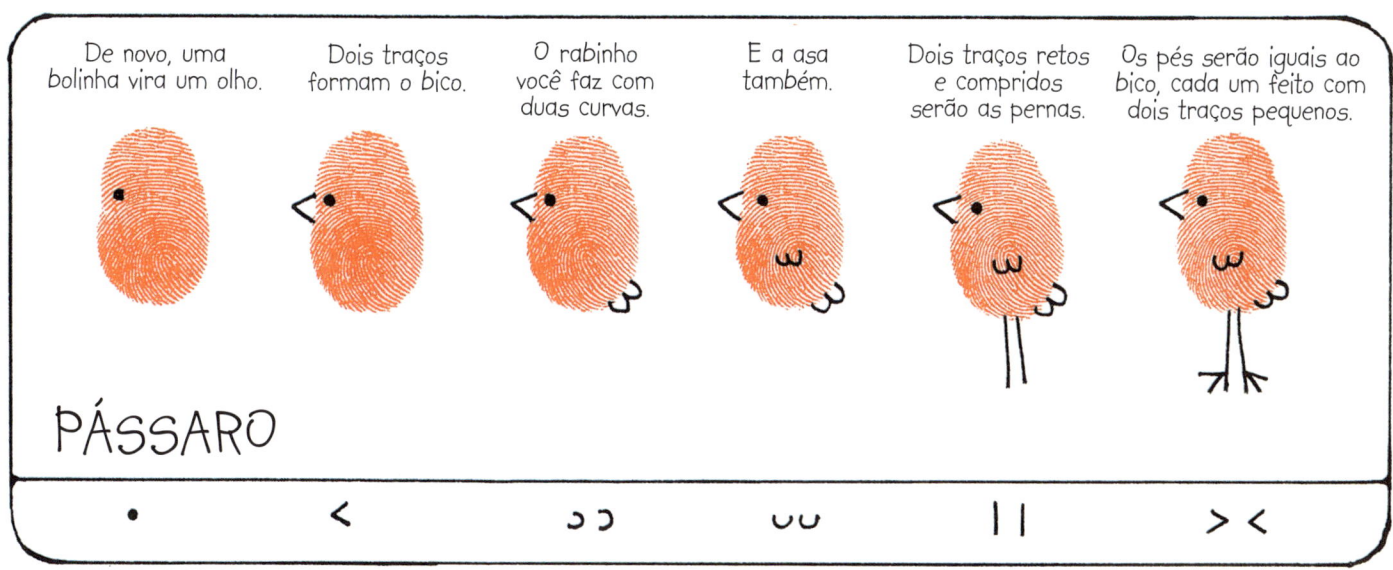

Agora você já aprendeu e pode continuar sozinho. É só ficar de olho nas duas linhas: a do desenho, que mostra como tudo vai ficando, e a debaixo, que ensina como fazer.
Boa diversão!

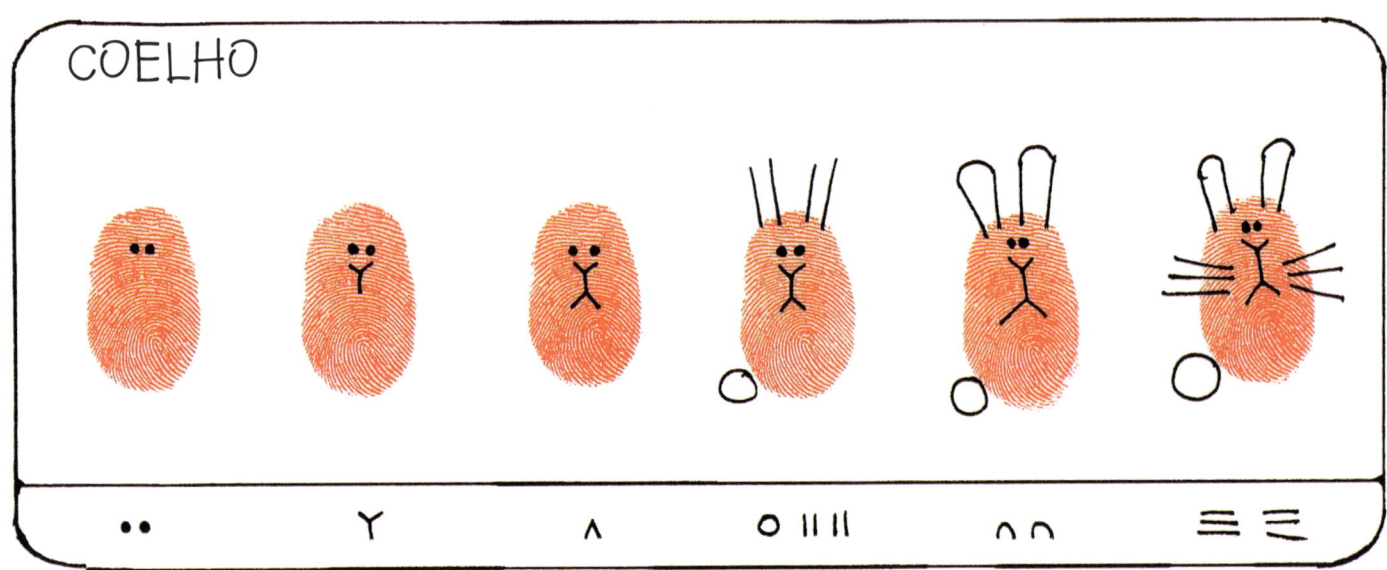

DIA DAS BRUXAS

SAPO

FELIZ

INFELIZ

RINDO

NERVOSO

ASTUTO

PREOCUPADO

TÍMIDO

FALANTE

PISCANDO

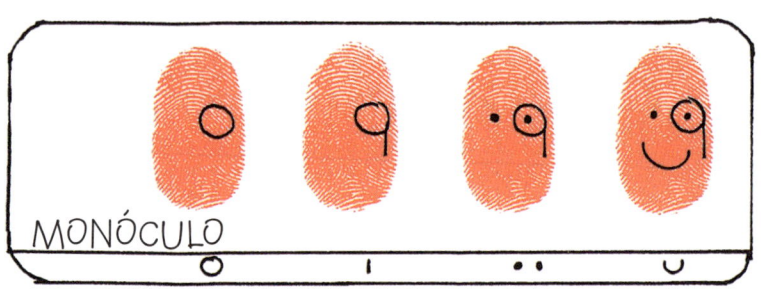

RABISCOS FAZEM UM BOM CABELO, BIGODES, SAIAS E CACHORROS PELUDOS.

AQUI ESTÃO MAIS ALGUNS RABISCOS E ALGUNS PONTOS E RISCOS.

CHAPÉUS

BONÉ

CHAPÉUS

VAQUEIRO — VAQUEIRA

FUTEBOL AMERICANO — VISTO DE LADO

BOMBEIRO

GORROS — LISTRADO

ANDANDO

ANDANDO POR AQUELE CAMINHO

VISTO DE COSTAS

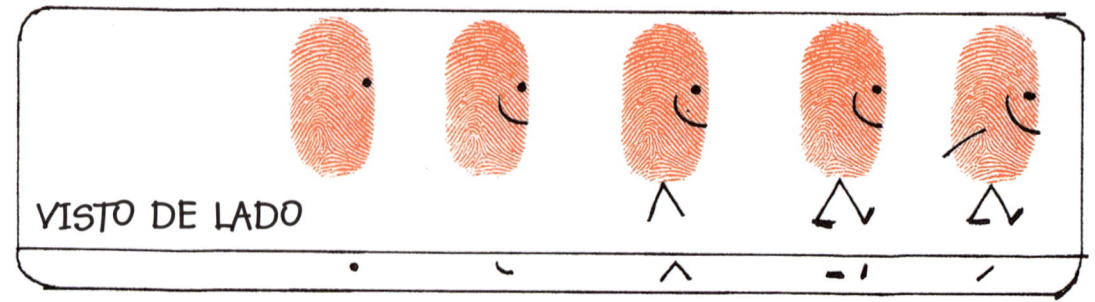

VISTO DE LADO

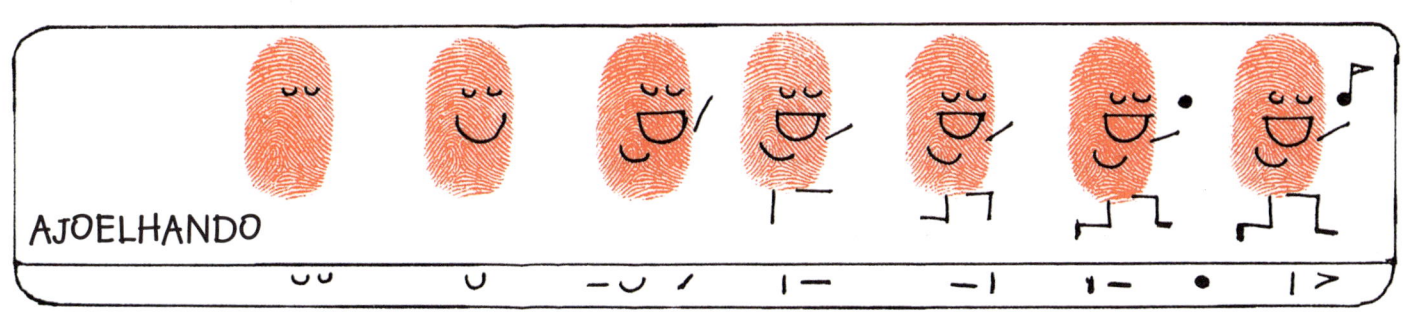

PARADO

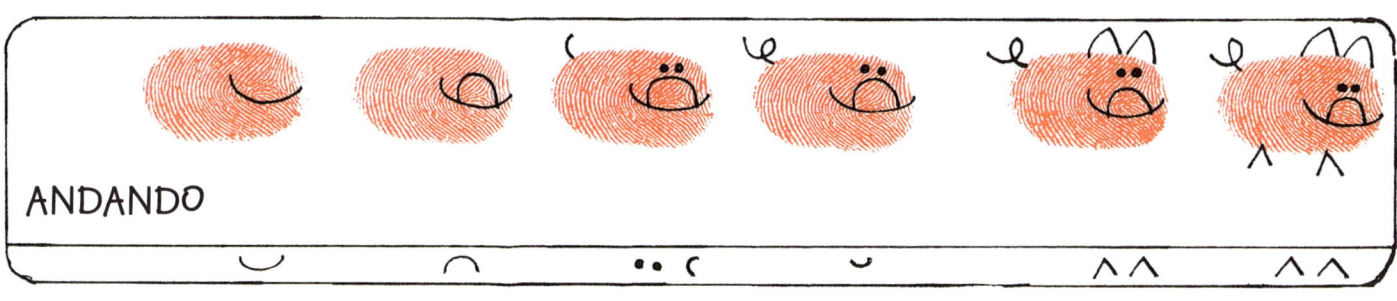

ANDANDO

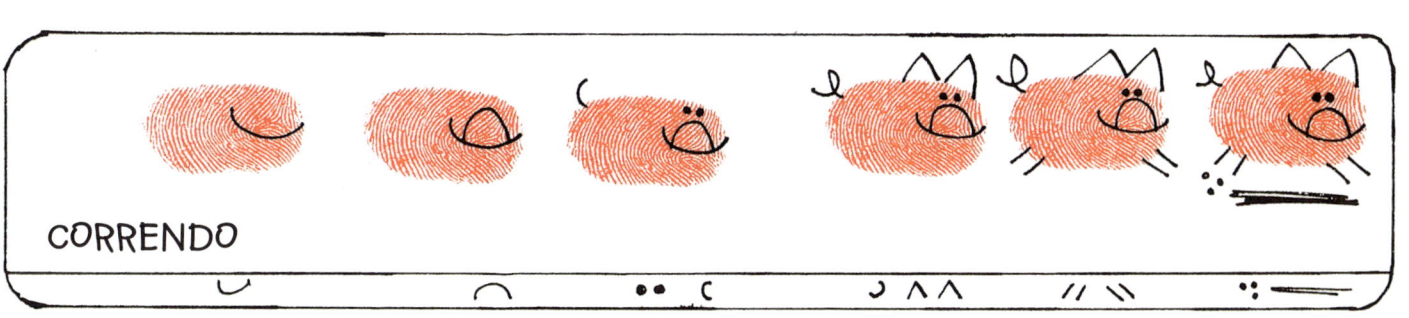

CORRENDO

CRIATURAS

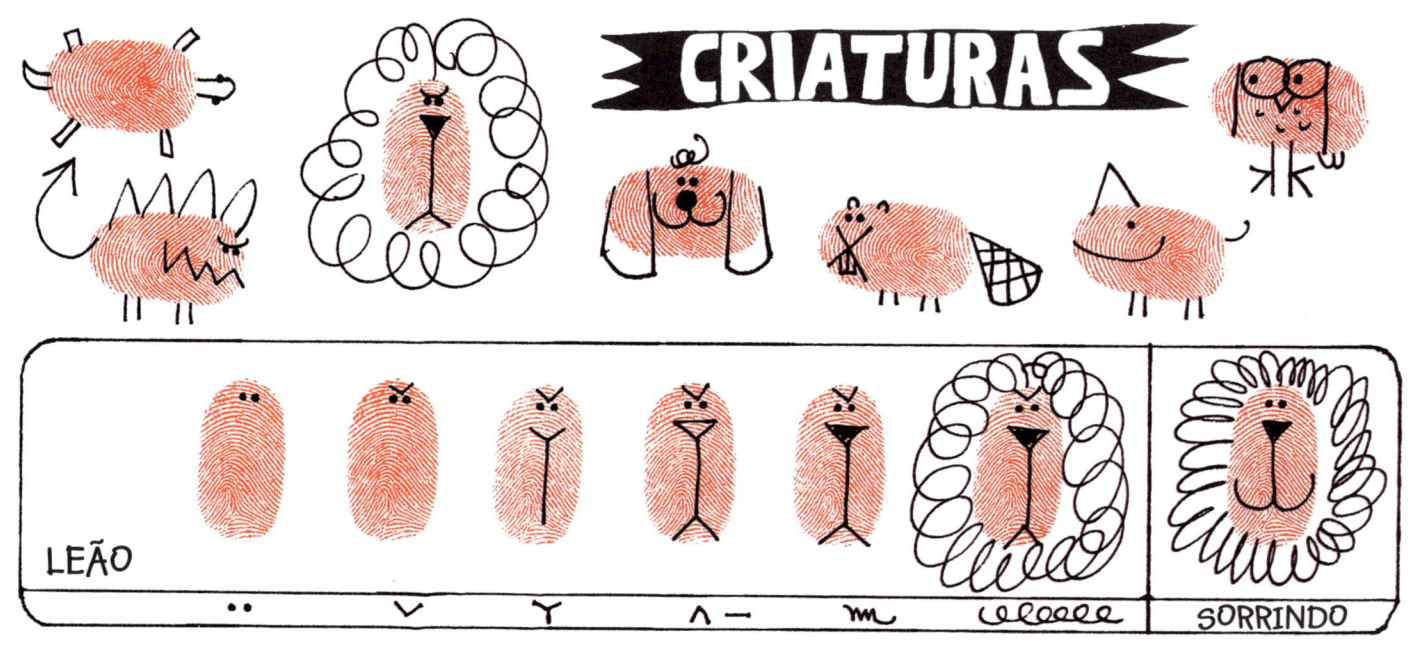

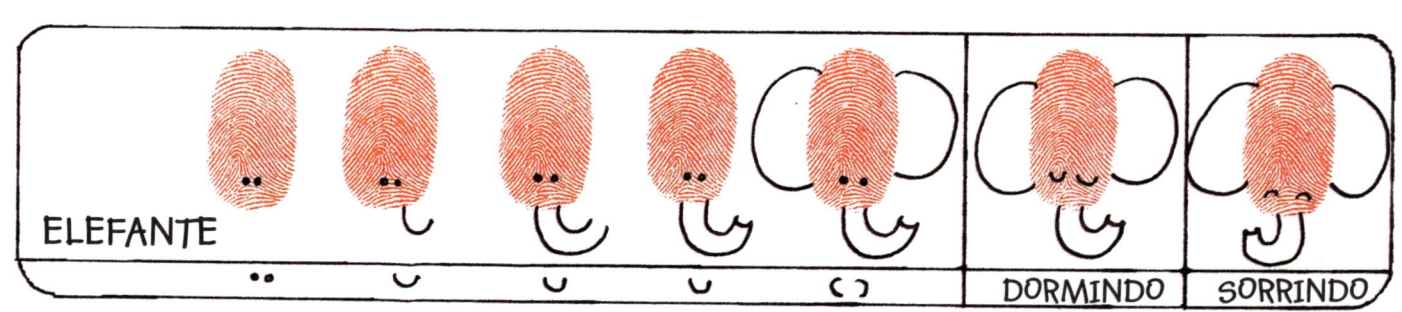

ELEFANTE

RINOCERONTE

CACHORRO

MONSTRO

CASTOR

CORUJA

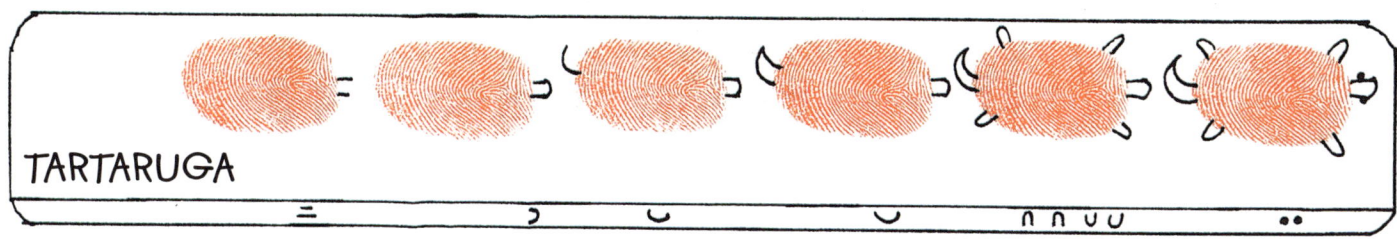

TARTARUGA

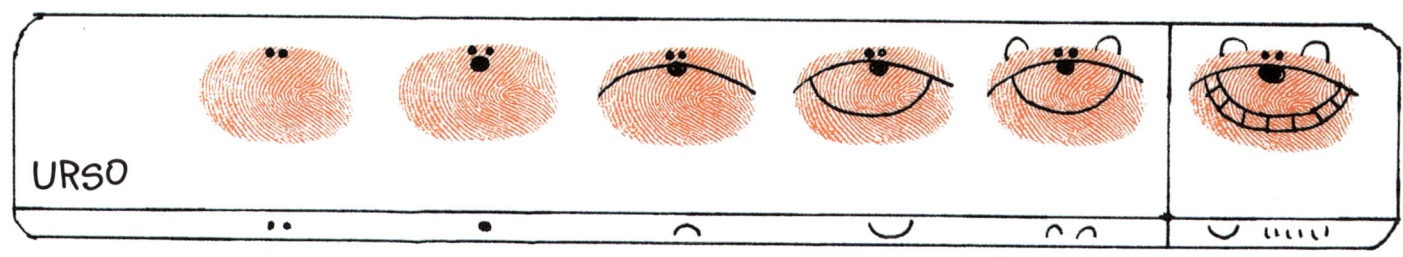

URSO

CACHORRO

HAMSTER   HAMSTER VISTO DE CIMA

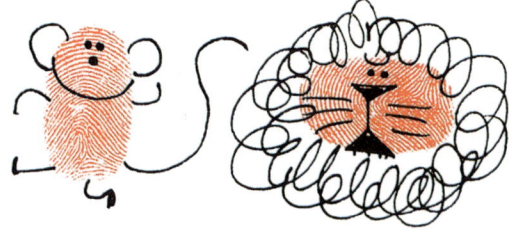

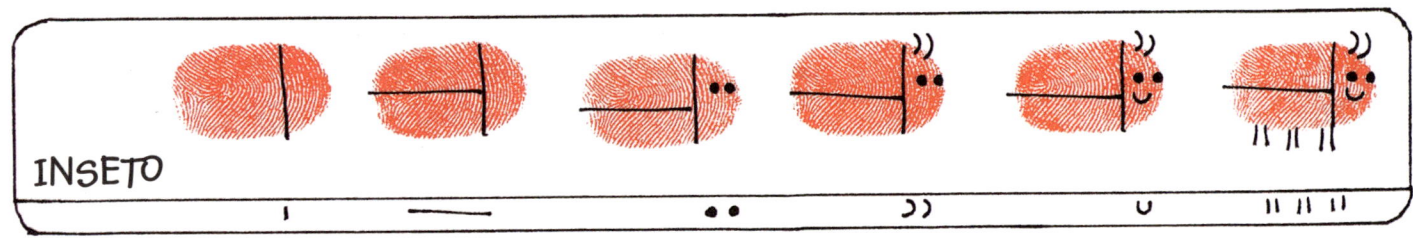

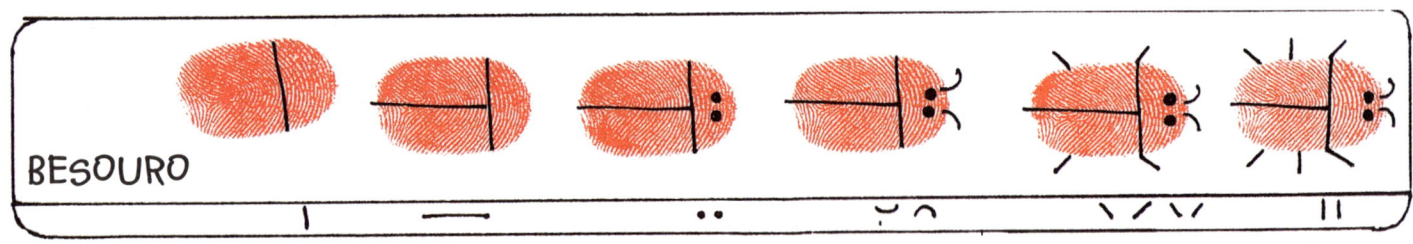

PÁSSAROS

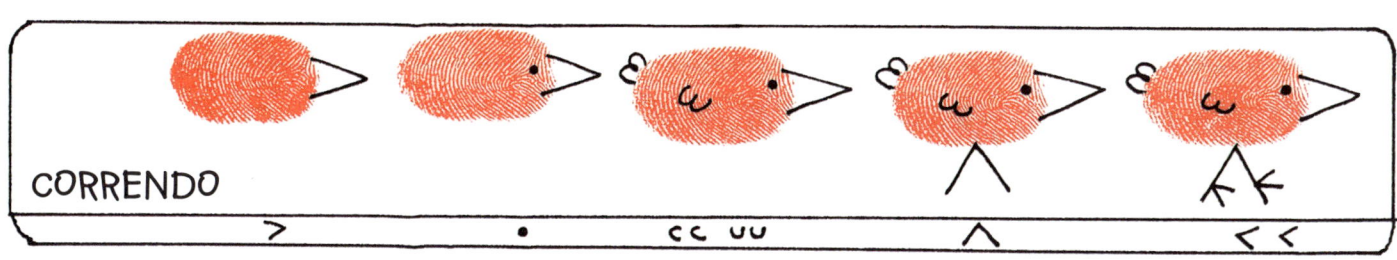

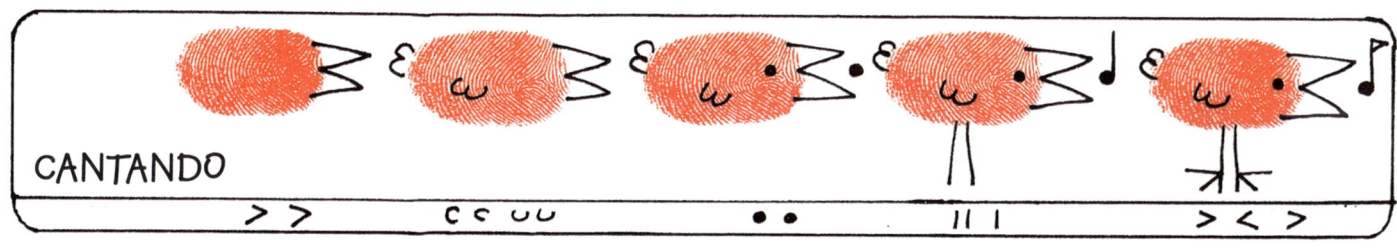

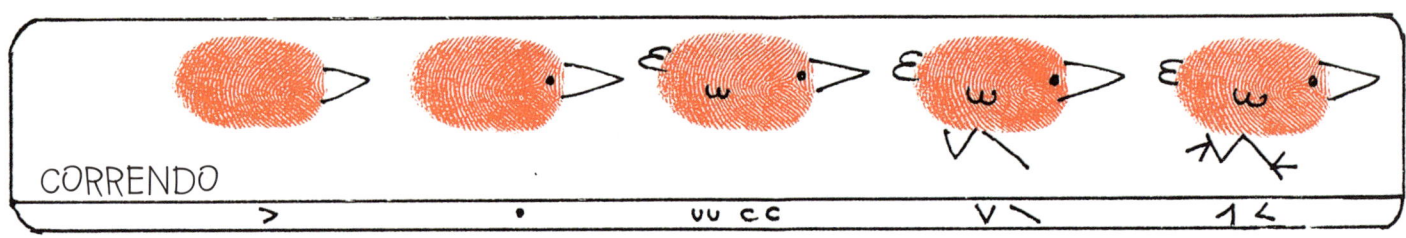

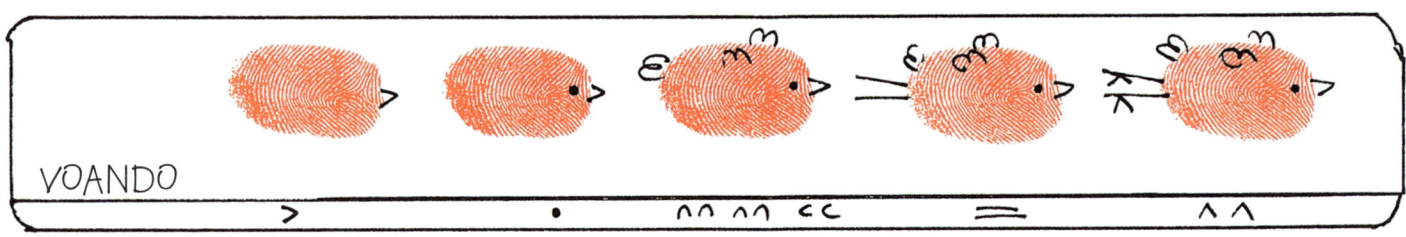

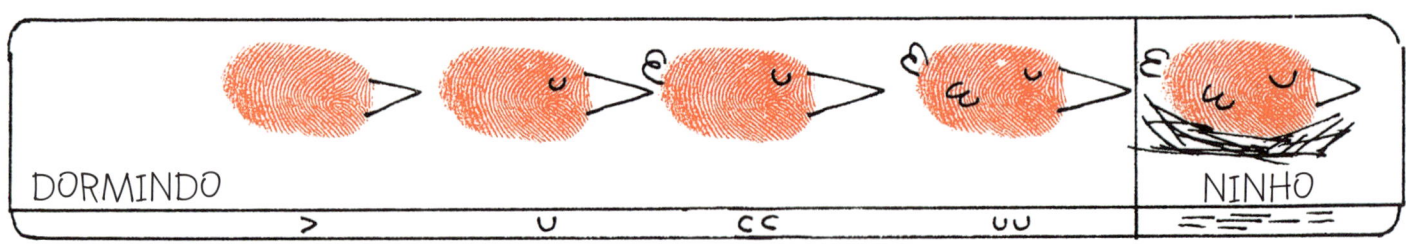

FERIADOS

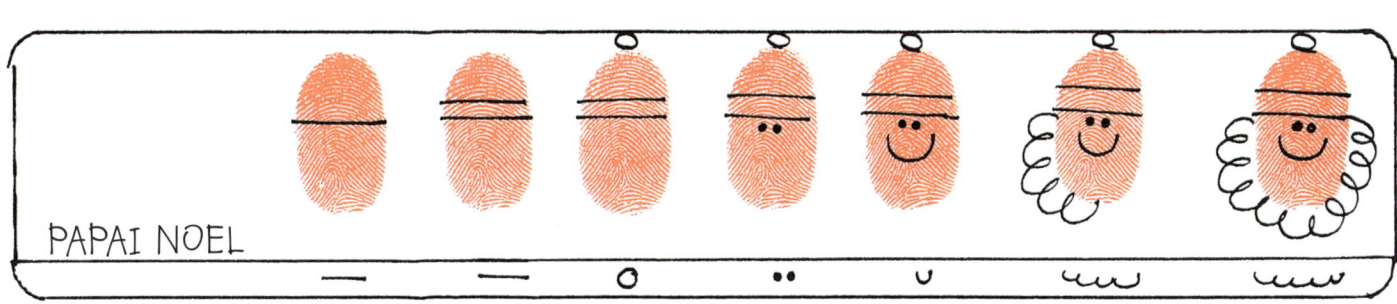

PAPAI NOEL

FOGOS DE ARTIFÍCIO

BOLO DE ANIVERSÁRIO

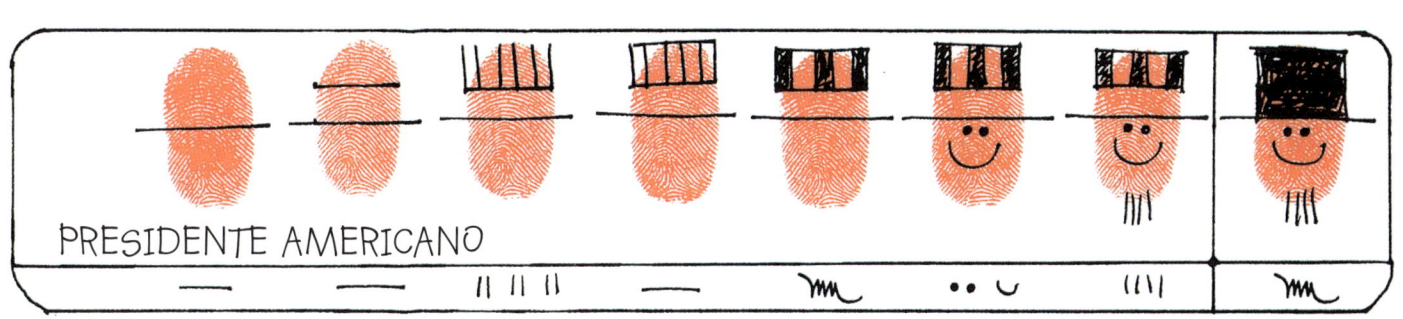

PRESIDENTE AMERICANO

DIA DAS BRUXAS

DIA DAS BRUXAS

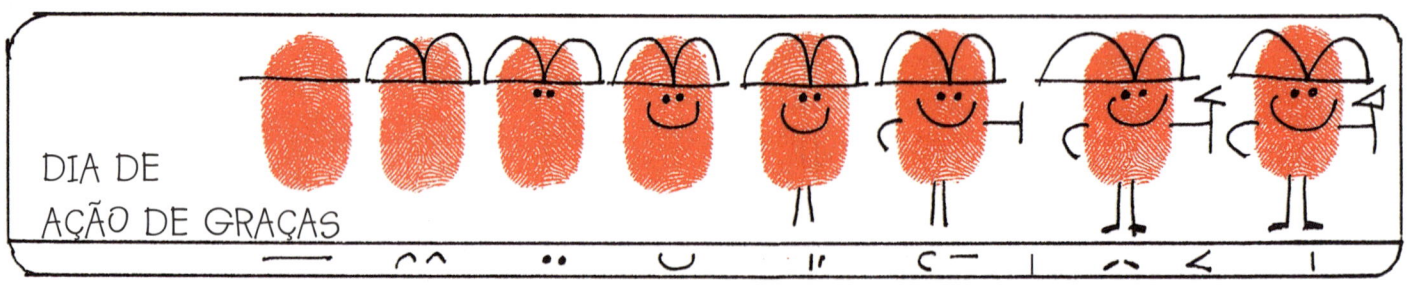
DIA DE AÇÃO DE GRAÇAS

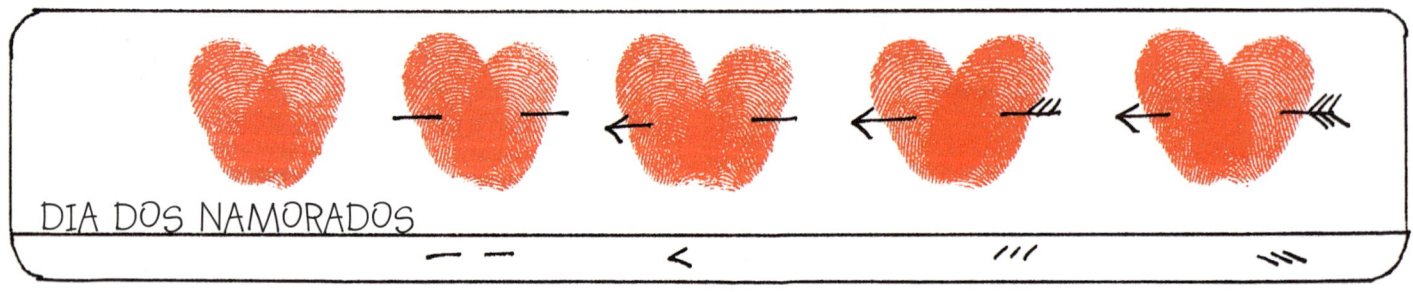
DIA DOS NAMORADOS

PEREGRINO

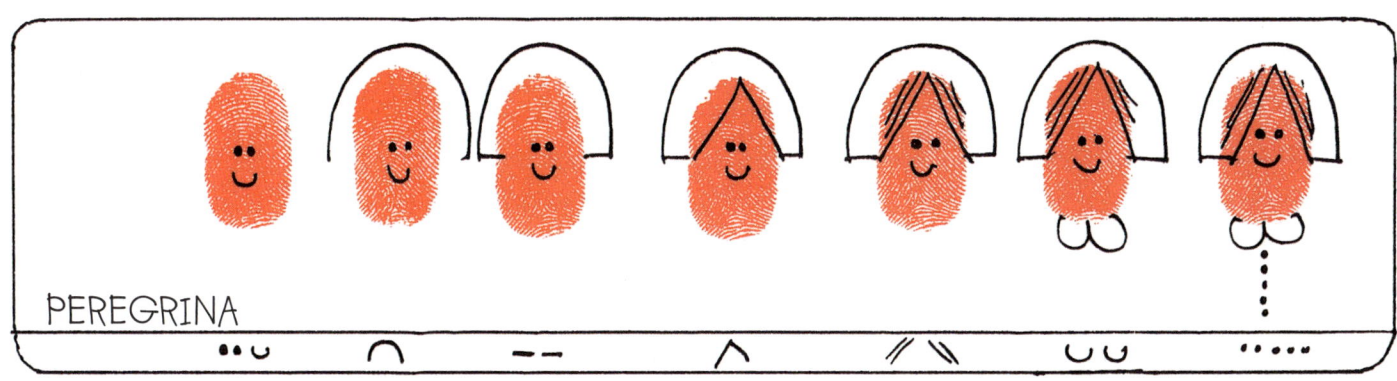

PEREGRINA

COELHO DA PÁSCOA

MAIS POLEGARES

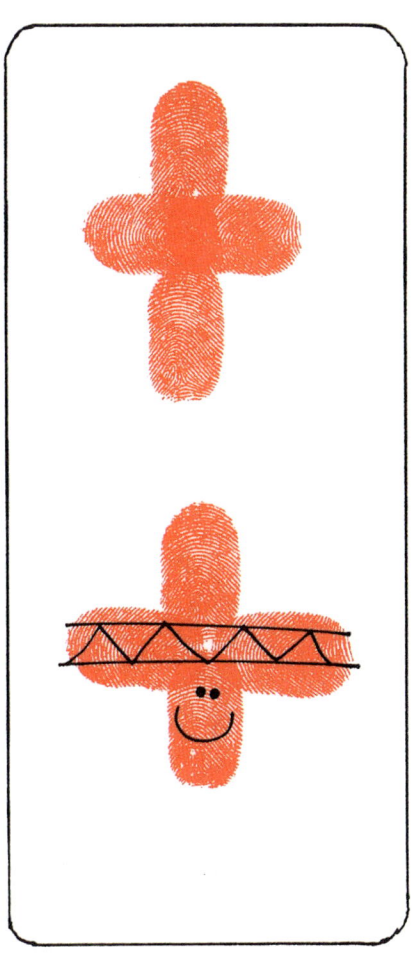

ISSO E AQUILO

O Jardim

FLOR

CARACOL

SAPO

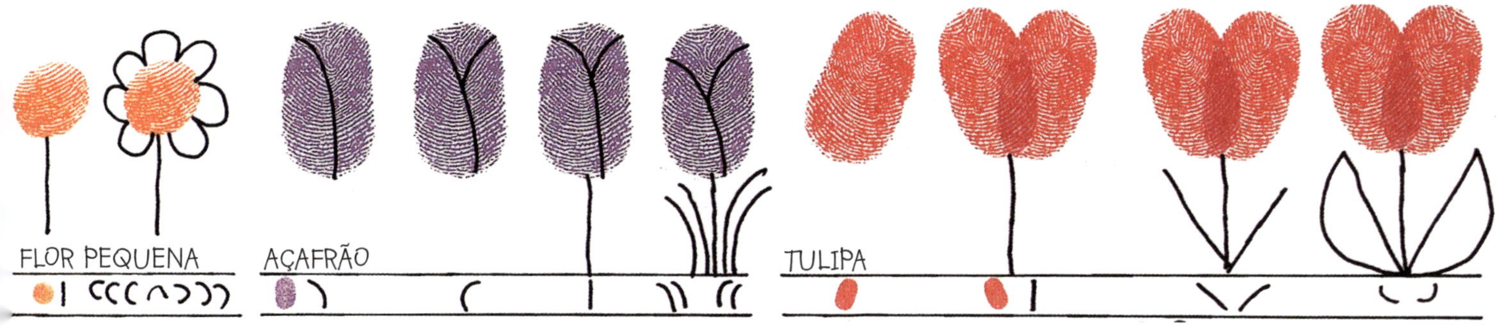

FLOR PEQUENA ACAFRÃO TULIPA

FORMIGA MARROM LAGARTA CENTOPEIA

ABELHA GRANDE

A Lagoa

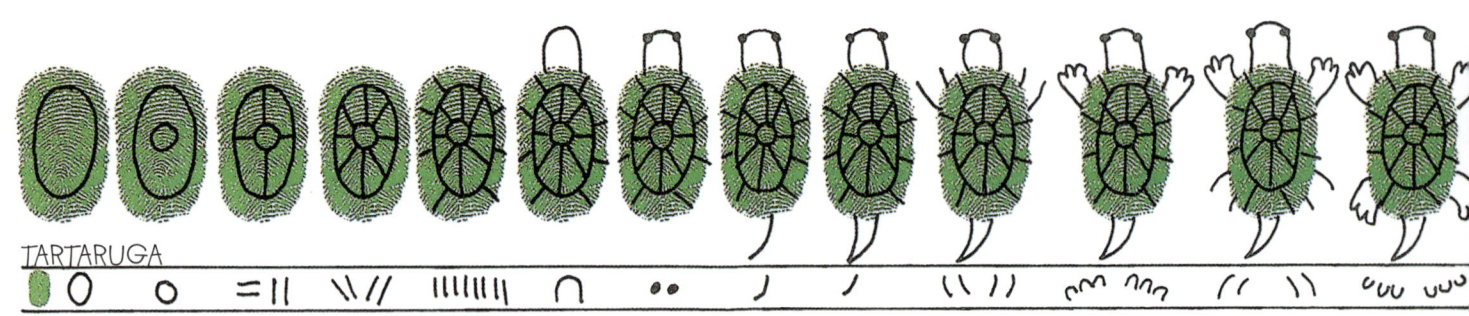

TARTARUGA

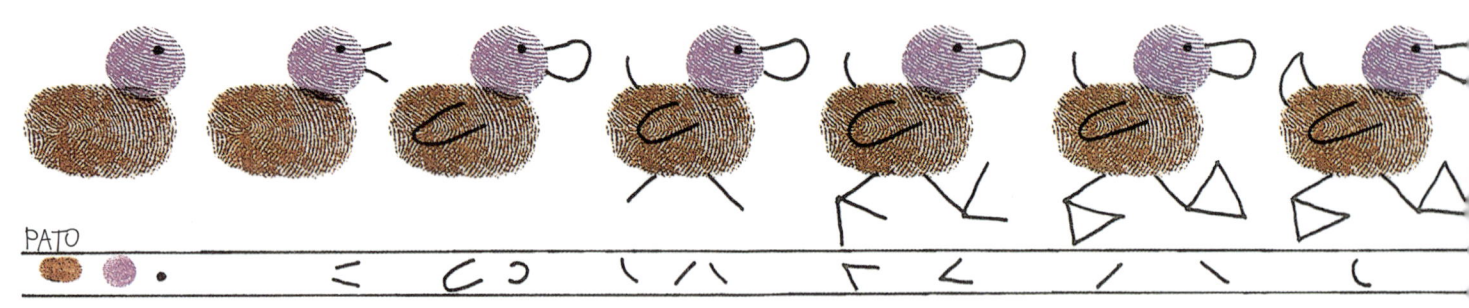

PATO

GIRINO

BORBOLETA

SAPO NADANDO

PEIXE GRANDE

PEIXE PEQUENO

37

Natureza

EU TAMBÉM CHAMO ISSO DE MEUS PEQUENOS PEQUENINOS. USO UM DEDO DIFERENTE PARA CADA COR.

primavera

verão

COELHO

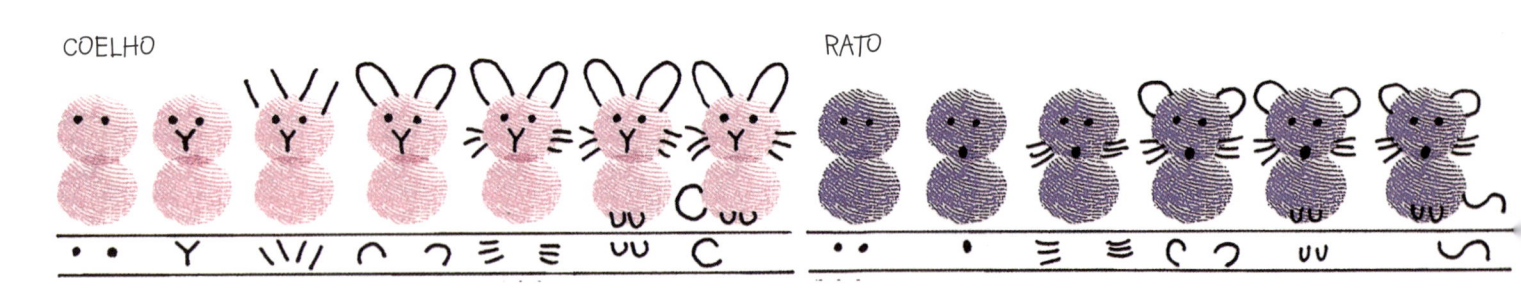

RATO

CORUJA

SAPO

CACHORRO

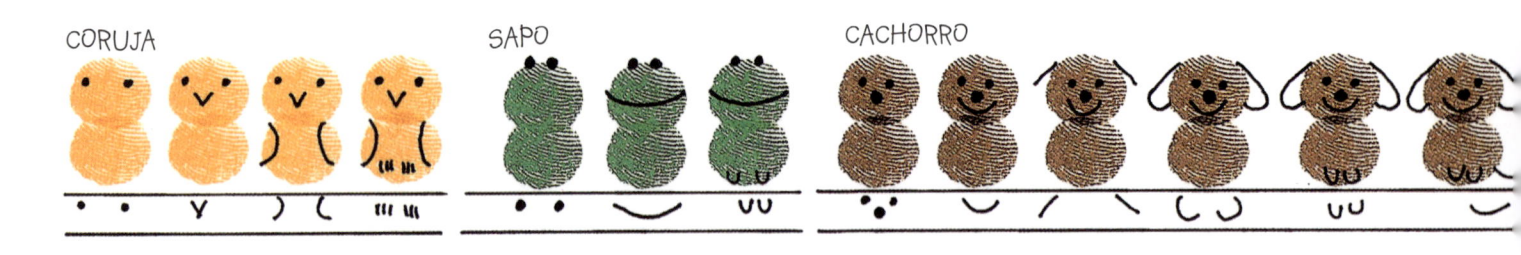

CASTOR

outono   outono   inverno

GATO SENTADO

PÁSSARO

PARADO

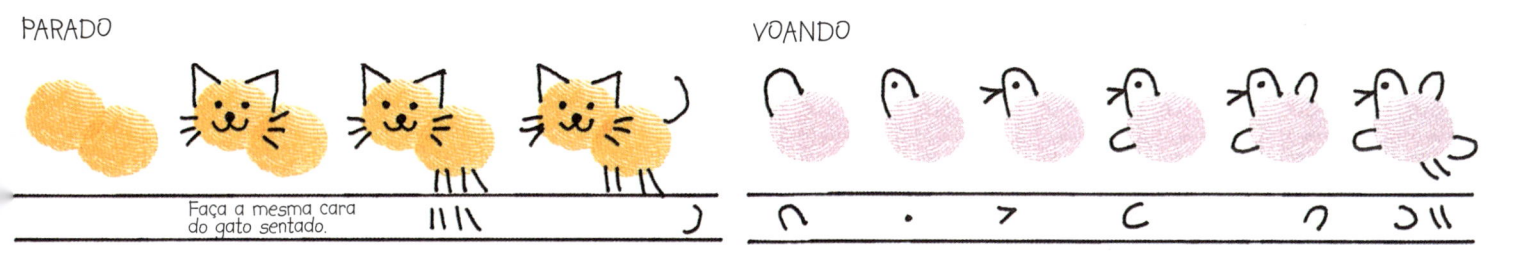

Faça a mesma cara do gato sentado.

VOANDO

CORRENDO

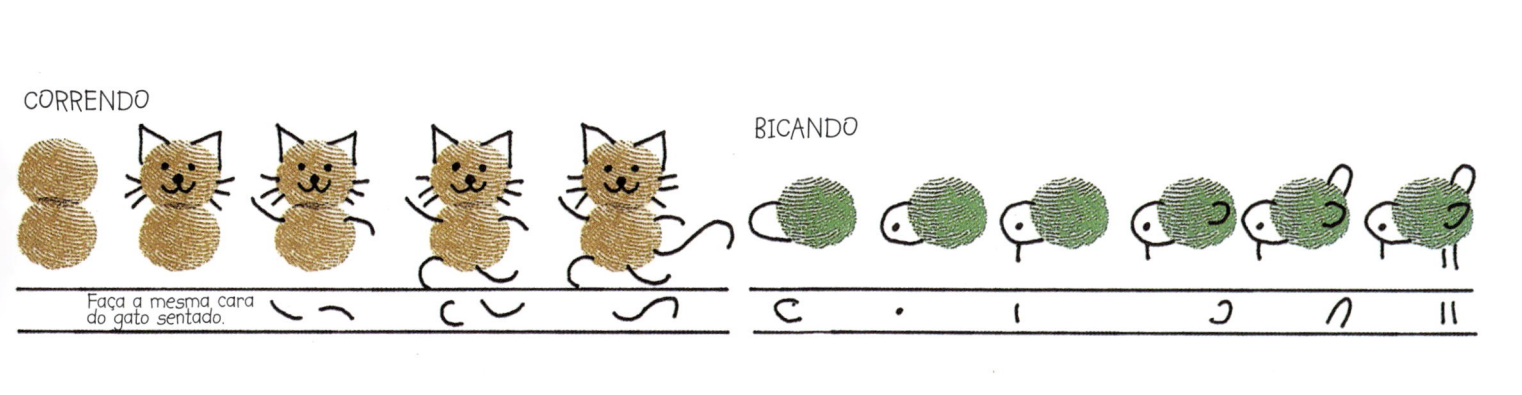

Faça a mesma cara do gato sentado.

BICANDO

Bichos

ELEFANTE

BEBÊ ELEFANTE

LEÃO

40

BEBÊ MACACO

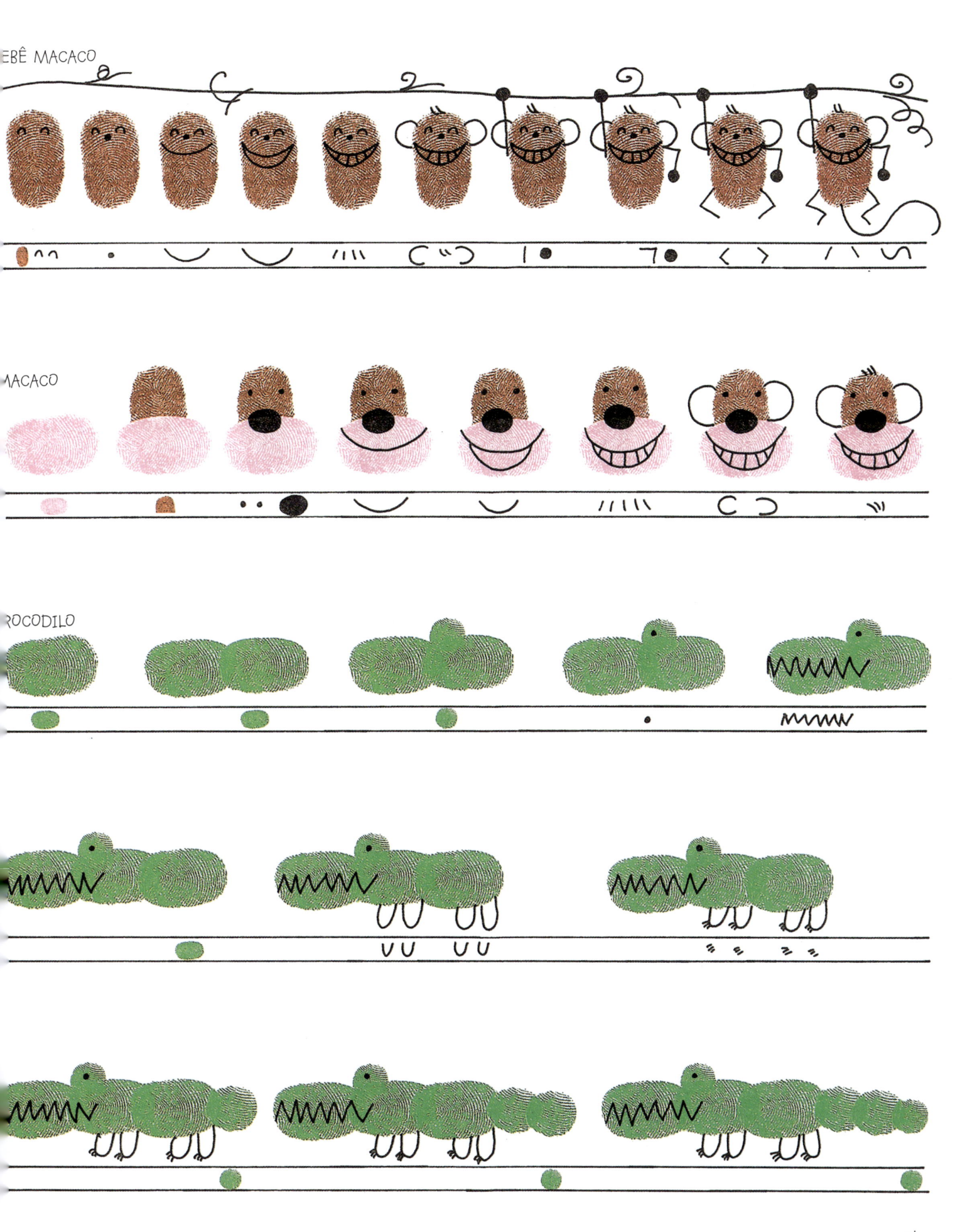

MACACO

CROCODILO

41

Mais Bichos

GUAXINIM

PORCO

CASTOR

CACHORRO

GATO

BULDOGUE PEQUENO

42

RATO

BULDOGUE GRANDE

43

Mais Pássaros

FILHOTE DE PÁSSARO NO NINHO

PÁSSARO COMENDO MINHOCA

PÁSSARO VISTO DE FRENTE

PÁSSARO VISTO DE COSTAS

44

PÁSSARO VOANDO

PÁSSARO CANTANDO

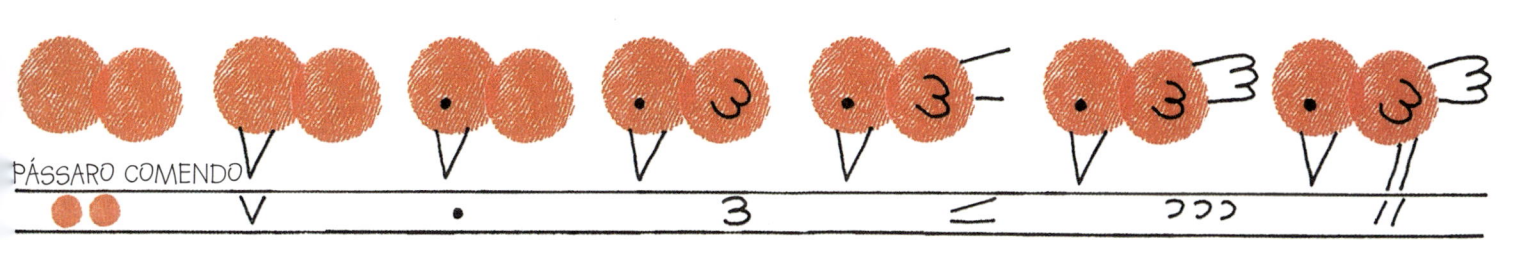

PÁSSARO COMENDO

PÁSSARO ANDANDO

45

Amigos-Feijões

SEMPRE ACHO QUE AS IMPRESSÕES DOS DEDOS PARECEM FEIJÕEZINHOS. EU GOSTO DE USAR ESSES "FEIJÕEZINHOS DE DEDOS" PARA FAZER PEQUENOS AMIGOS-FEIJÕES.

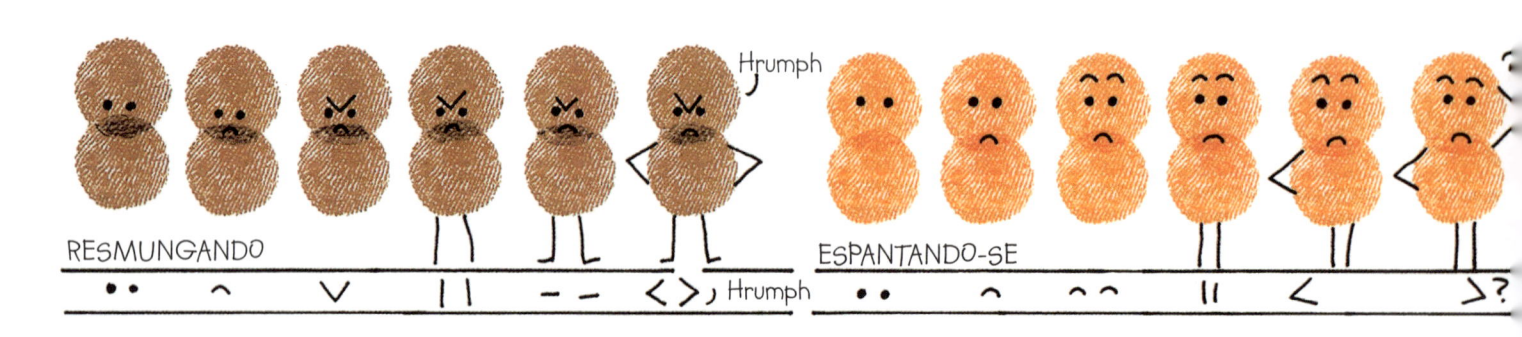

BÁSICO

AMIGO GRÃO DE ERVILHA — AMIGO FEIJÃO QUEIMADO — AMIGO FEIJÃO LIMA — AMIGO FEIJÃO GELEIA

FALANDO — Oi!

APONTANDO — Olhe

BOCEJANDO — Ho hum

COMEMORANDO — Iupiii!!

RESMUNGANDO — Hrumph

ESPANTANDO-SE

ANDANDO

CAMINHANDO

CORRENDO

VENCENDO

BALÉ

HULA-HULA

DANÇA DE TAMANCOS

SAPATEADO

47

PALHACINHO

NAPOLEÃO

MARINHEIRO

RAINHA

REI

PRÍNCIPE

48

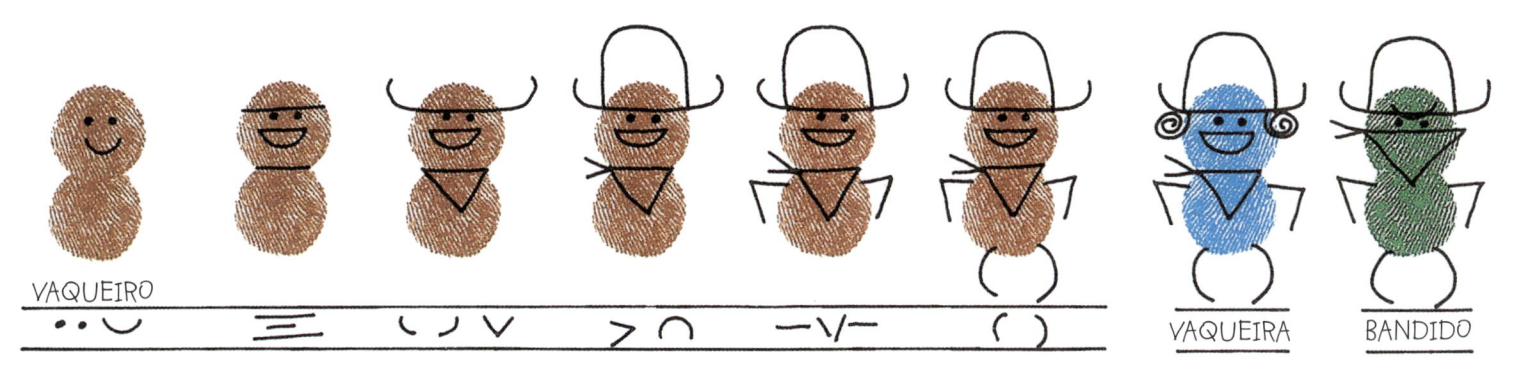

VAQUEIRO

VAQUEIRA   BANDIDO

PIRATA

SUPER-HERÓI

VILÃO CRUEL

Sentimentos

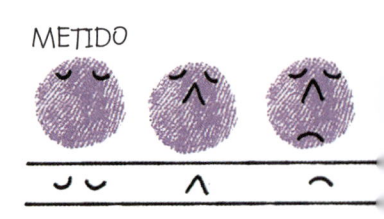

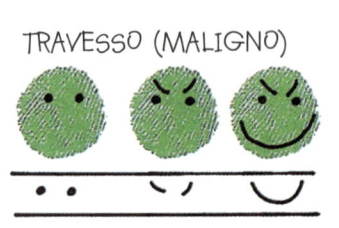

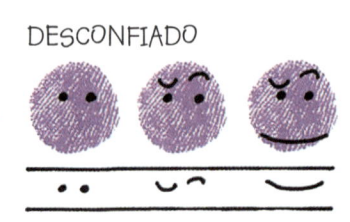

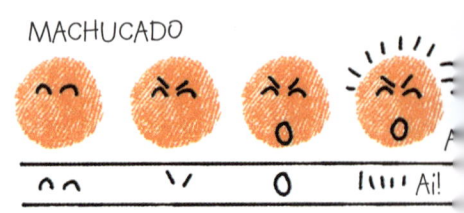

FELIZ	MUITO FELIZ	MUITO, MUITO FELIZ	METIDO

TRISTE	MUITO TRISTE	MUITO, MUITO TRISTE

ABORRECIDO	BRAVO	MUITO BRAVO	MUITO, MUITO BRAVO

TRAVESSO (MALIGNO)	TÍMIDO (EMBARAÇADO)	DESCONFIADO	MACHUCADO

MÚSICA	SUSSURRANDO	ASSOBIANDO	CANTANDO	CANTADORES

50

EXCITADO

SURPRESO

DESCOBERTA

CONFUSO

APAIXONADO

AI!

COM SONO

ADORMECIDO

RONCANDO

DOENTE

FRIO

CALOR

SOCORRO!

SOCORRO!

COM FOME — NHAM! NHAM!

COM NOJO

MOSTRANDO A LÍNGUA

51

Primavera Divertida!

PULAR CORDA

ANDAR DE BICICLETA

ANDAR DE SKATE

ANDAR DE PATINS

PANCADA DE CHUVA

PESCARIA

CAMINHADA

PIPA

Verão Divertido!

CAÇAR BORBOLETAS

NADAR

SURFAR

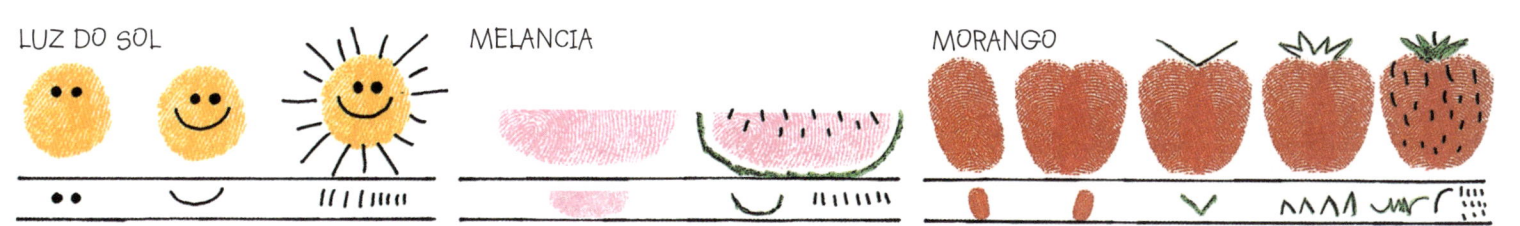

LUZ DO SOL

MELANCIA

MORANGO

CORTAR A GRAMA

BANHO DE SOL

BEISEBOL

Outono Divertido!

MAÇÃ PERA MAÇÃ AMARELA MAÇÃ VERDE FELIZ UVAS

AGRICULTURA

LACROSSE

FUTEBOL

FUTEBOL AMERICANO

TORCEDORES

LÍDER DE TORCIDA

BASQUETE

57

Inverno Divertido!

PINGUIM VISTO DE FRENTE

PINGUIM VISTO DE LADO

BONECO DE NEVE

ESQUIAR

PATINAR

HÓQUEI

Mais Feriados

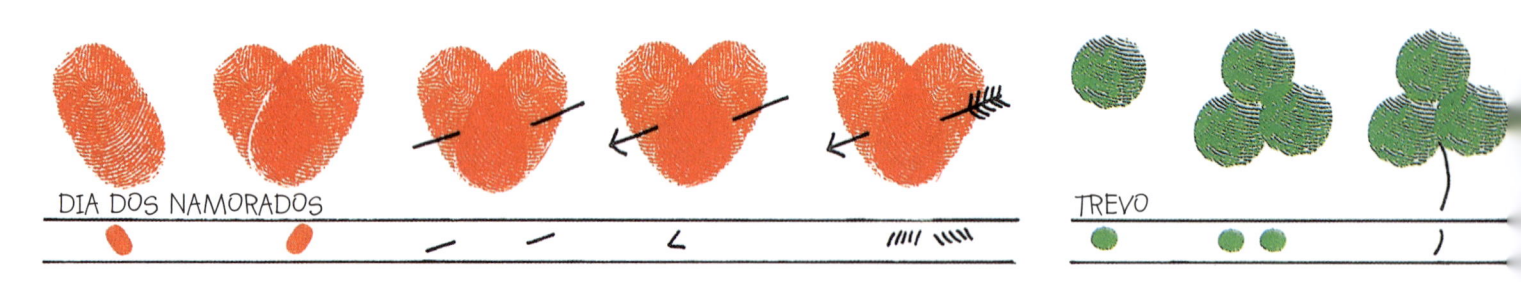

COELHO DA PÁSCOA

OVO DE PÁSCOA

OVO DE CHOCOLATE

PINTINHO

DIA DOS NAMORADOS

TREVO

DUENDE

PEREGRINO

PERU

PEREGRINA

ÍNDIO

Dia das Bruxas

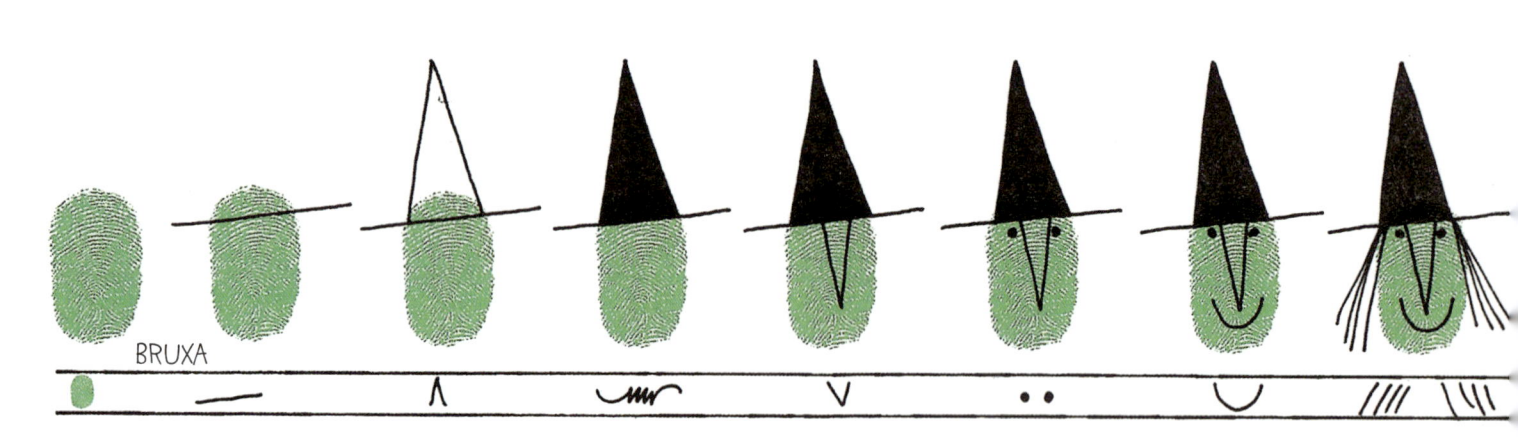

BRUXA

BRUXA VOANDO

LANTERNA DE ABÓBORA

MORCEGO

ESQUELETO

CORUJA

ARANHA

GATO

63

✷ **Corredora** ✷ **Dançarina** ✷ **Empinadora** ✷ **Raposa** ✷

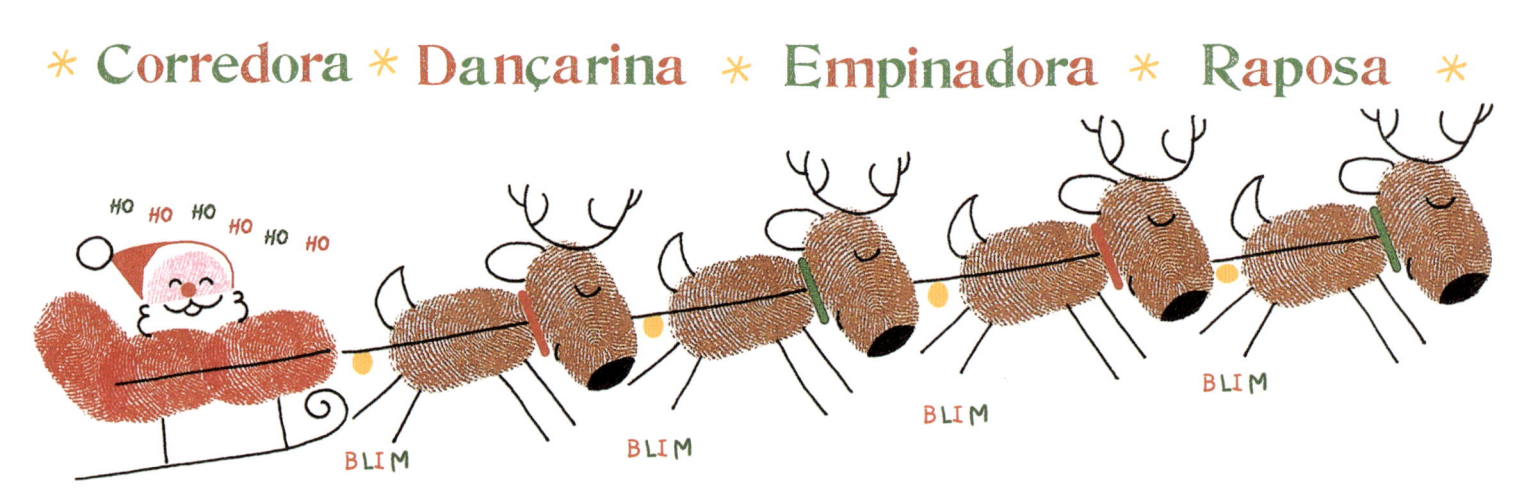

64

* **Cometa** * **Cupido** * **Trovão** * **Relâmpago** *

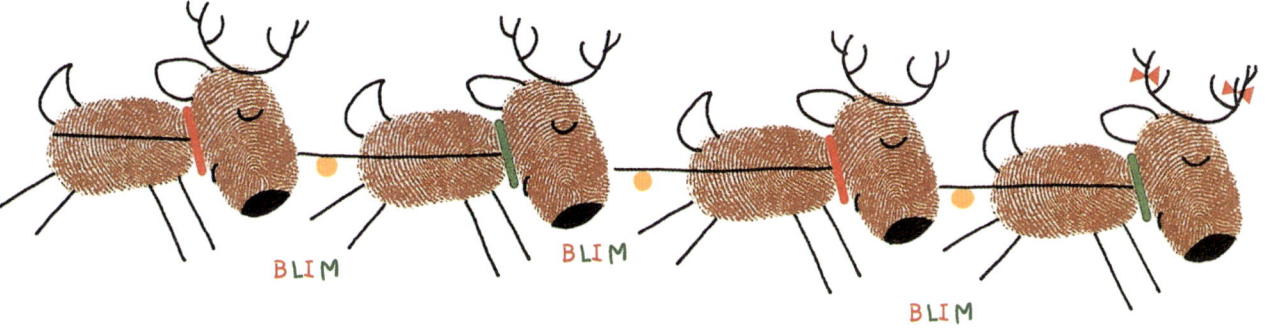

BLIM BLIM BLIM

Terra, Mar e Ar

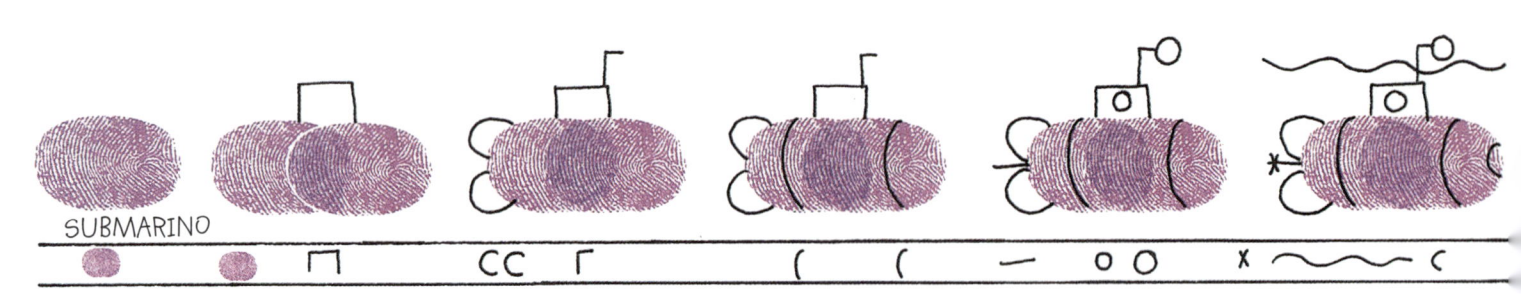

CARRO

SUBMARINO

DIRIGÍVEL

HELICÓPTERO

Trem

MÁQUINA

VAGÃO DE CARVÃO

VAGÃO DE PASSAGEIROS

VAGÃO DE CARGAS

67

Palhaço Arco-íris

CUCO

CHICO

LULU

69

Dragão Arco-íris

71

Leão

CARA DO LEÃO

JUBA DO LEÃO

Leões Arco-íris

Caderno de Rascunho

AQUI ESTÃO ALGUMAS IMPRESSÕES DE DEDOS QUE NÃO CONSEGUI ENCAIXAR NESTE LIVRO. VOCÊ CONSEGUE IMAGINAR COMO ELAS FORAM FEITAS?

74

NARIZES

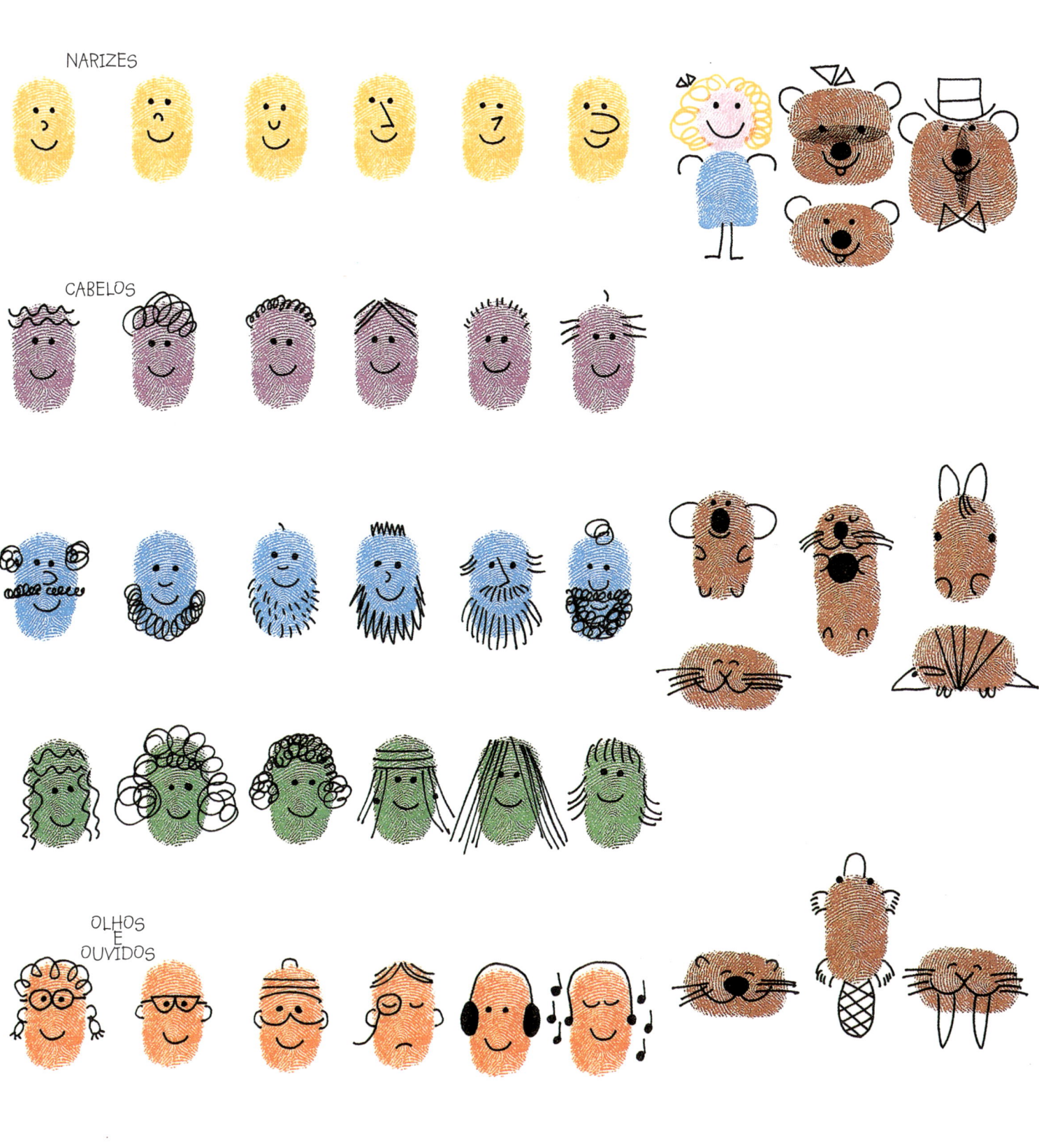

CABELOS

OLHOS
E
OUVIDOS

CHAPÉUS

75

Agora é a sua vez!

PARA OS AVENTUREIROS:
PARA DESENHAR É SÓ COMBINAR IMPRESSÕES, CORES, LINHAS SIMPLES E UM TANTO DE IMAGINAÇÃO. AQUI HÁ UMA PORÇÃO DE DESENHOS PARA VOCÊ TENTAR FAZER... BOA AVENTURA!

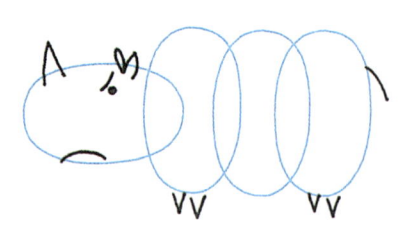

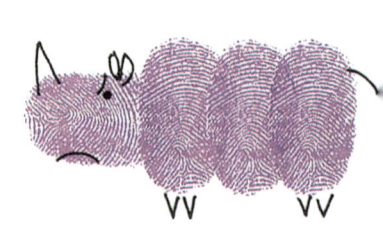

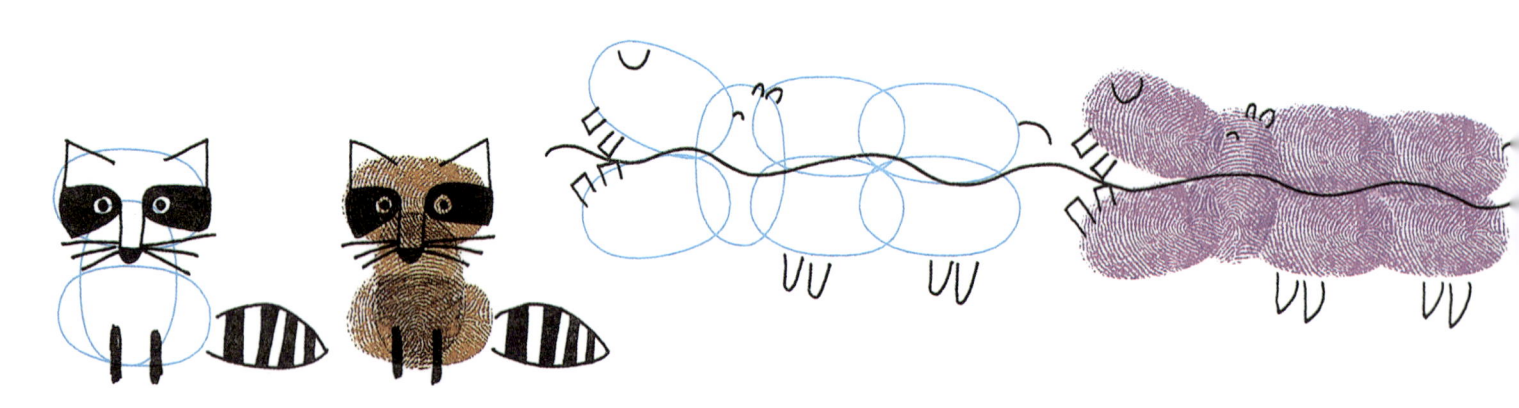

77

Algo muito especial

Do mesmo jeito que duas impressões digitais nunca são iguais,
nenhum desenho feito com os dedos será igual a outro.
As impressões vão ser mais claras ou escuras,
as linhas serão mais grossas ou finas, as cores serão diferentes...

Isso quer dizer que nenhum outro desenho
feito com a impressão dos dedos será igual
aos que aparecem neste livro, ou igual aos seus.
E isso faz de seus desenhos "algo muito especial".

Aprender pode ser divertido e **Desenhando com os Dedos** prova isso na prática.

A criança descobre que em suas mãos estão formas, cores, diversão, imagens simples e complexas.
Seus dedos transformam-se em instrumento de desenho, em brinquedo, em criatividade.

Para aprofundar o estudo desenvolvido, a Panda Books preparou um **Suplemento de Atividades** voltado ao trabalho em sala de aula. Nele, novos exercícios lúdicos e criativos são propostos às crianças, e o professor encontra sugestões de atividades temáticas, interpretativas e de pesquisa para desenvolver com a turma.

Você pode pedir o seu suplemento por e-mail, carta ou telefone:
Panda Books
a/c Atendimento ao Professor
Rua Henrique Schaumann, 286, cj. 41
Cerqueira César
05413-010 - São Paulo/SP
Tel./Fax: (11) 3088-8444
atendimento@pandabooks.com.br

© Edward R. Emberley

Esta edição foi publicada com a autorização da Little, Brown and Company (Inc), Nova York, NY, EUA. Todos os direitos reservados.

Diretor editorial
Marcelo Duarte

Diretora comercial
Patth Pachas

Diretora de projetos especiais
Tatiana Fulas

Coordenadora editorial
Vanessa Sayuri Sawada

Assistentes editoriais
Olívia Tavares
Camila Martins

Diagramação
Kiki Millan

Tradução e suplemento de atividades
Shirley Souza

Impressão
Corprint

CIP-BRASIL. CATALOGAÇÃO NA FONTE
SINDICATO NACIONAL DOS EDITORES DE LIVROS, RJ

Emberley, Edward R.
Desenhando com os Dedos/ Edward R. Emberley; – tradução Shirley Aparecida de Souza. – 1. ed. – São Paulo: Panda Books, 2004. 80 pp.

Título original: Ed Emberley's complete funprint drawing book
ISBN: 978-85-87537-76-8

1. Desenho com os dedos I. Título.

04-6168   CDD-741.2

Índice para catálogo sistemático:
1. Desenhando com os dedos: Artes
741.2

2021
Todos os direitos reservados à Panda Books.
Um selo da Editora Original Ltda.
Rua Henrique Schaumann, 286, cj. 41
05413-010 – São Paulo – SP
Tel./Fax: (11) 3088-8444
edoriginal@pandabooks.com.br
www.pandabooks.com.br
Visite nosso Facebook, Instagram e Twitter.

Nenhuma parte desta publicação poderá ser reproduzida por qualquer meio ou forma sem a prévia autorização da Editora Original Ltda. A violação dos direitos autorais é crime estabelecido na Lei nº 9.610/98 e punido pelo artigo 184 do Código Penal.